Manfred Nedler

Der betriebliche Umgang mit den psychischen Belastungen

Band I   Verhältnisprävention

Von der Gefährdungsbeurteilung bis zum betrieblichen Gesundheitsmanagement

D1675716

Bibliografische Information der Deutschen Nationalbibliothek

Die Deutsche Nationalbibliothek verzeichnet diese Publikation

in der Deutschen Nationalbibliografie, detaillierte bibliografische

Daten sind im Internet unter http://dnb.dnd.de abrufbar.

Herstellung und Verlag:

BoD – Books on Demand, Norderstedt

ISBN: 9733734755989

INHALT

EINLEITUNG

Ich freue mich, dass dieses Buch Ihr Interesse geweckt hat.

Seit über 20 Jahren berate ich Unternehmen zu Fragen des betrieblichen Gesundheitsschutzes. In vielen betrieblichen Projekten sind neue Ideen und Konzepte entstanden, als Antwort auf spezifische Ausgangslagen und Zielsetzungen.

In diesem Buch habe ich einige dieser Ideen und Konzepte für Sie zusammengestellt, in der Hoffnung, Sie für Ihre betriebliche Arbeit zu inspirieren. Betrachten Sie es eher als einen Werkzeugkasten, in dem Sie ein für Sie passendes Werkzeug suchen, als eine Schritt-für-Schritt-zum-gesunden-Unternehmen-Anleitung.

Die vorgestellten Maßnahmen und Instrumente beginnen bei der Analyse der Ausgangssituation, also der gesundheitlichen Risiken, durch die Gefährdungsbeurteilung. Und sie enden bei einem schlanken, kompakten Ansatz für die Einführung eines Betrieblichen Gesundheitsmanagements.

Lesen Sie dieses Buch chronologisch oder „quer Beet". Ich wünsche Ihnen, dass Sie die für Ihre aktuelle Situation passenden Anregungen finden und nutzbringend umsetzen können.

In der Schreibweise wechsele ich von Kapitel zu Kapitel zwischen der männlichen und der weiblichen Form. Gemeint sind immer beide Geschlechter. So vermeide ich konstruierte Schreibweisen, welche die Lesbarkeit verschlechtern.

Wenn Sie mögen, schauen Sie auch in meine weiteren Veröffentlichungen (im Laufe des Jahres 2015):
- Der betriebliche Umgang mit den psychischen Belastungen
  II: Verhaltensprävention
- Der betriebliche Umgang mit den psychischen Belastungen
  III: Die Gefährdungsbeurteilung
- Der betriebliche Umgang mit den psychischen Belastungen
  IV: Das betriebliche Eingliederungsmanagement

Ich freue mich über jede Anregung und Rückmeldung!

Kontakt:
Manfred Nedler – mail@nedler-beratung.de – www.nedler-beratung.de
Arbeitspsychologische Analysen, Interventionen und Trainings

1: Die Mitarbeiterbefragung

Sie wollen sich zunächst ein genaues Bild machen von der Belastungssituation Ihrer Mitarbeiterinnen? Fragen Sie sie!

Wie lang oder kurz sollte ein Fragebogen sein? Viele betriebliche Praktikerinnen vermuten, dass nur ein kurzer Bogen mit wenigen Fragen von den Mitarbeiterinnen akzeptiert und ausgefüllt wird. Wahrscheinlicher ist jedoch, dass die Mitarbeiterbeteiligung mit der Länge des Fragebogens kaum etwas zu tun hat. Zwei Fragen stellen sich die Mitarbeiterinnen in der Regel:

1. Kommt dabei was raus (für mich)?
2. Können mir durch kritische Bewertungen irgendwelche Nachteile entstehen?

Zu 1.:

Überlegen Sie sich im Führungskreis sehr genau, ob Sie bereit sind, Maßnahmen des Gesundheitsschutzes zu ergreifen, wenn Ihre Beschäftigten bestimmte Überlastungen oder Fehlbelastungen angeben. Wenn Sie sich nicht sicher sind, vergessen Sie die Befragung! Wenn Sie sich sicher sind, kommunizieren Sie dies überzeugend gegenüber Ihren Mitarbeiterinnen. Es kann übrigens nicht schaden, bereits im Vorfeld darüber nachzudenken, welche Maßnahmen denn in Betracht kommen, wenn bestimmte Belastungsfaktoren in der Befragung kritische Werte (wo genau liegen die?) erreichen. Möglicherweise erkennen Sie dann Konstruktionsfehler in Ihrem Fragebogen bzw. die Grenzen dieser Methodik generell. Auf jeden Fall können Sie so verhindern, später nicht zu erfüllende Erwartungen bei den Mitarbeiterinnen zu wecken.

Zu 2.:

Strikte Zusicherung der Anonymität ist unverzichtbar. Ist es zu vermuten, dass die Beschäftigten dennoch misstrauisch bleiben, kann die Durchführung der Befragung durch Externe das Vertrauen deutlich steigern. Die Fragebögen gehen dann unmittelbar an die Externe. Üblich bei Fragebögen ist die Abfrage soziodemografischer Daten, z.B. die Altersgruppe, Abteilung, Geschlecht, Führungsebene. Dies ermöglicht Gruppenvergleiche und damit spezifischere Aussagen zu der Belastungssituation und zielgenauere Maßnahmen des Gesundheitsschutzes. Aber gerade hier ist sicherzustellen, dass aus der Kombination dieser Merkmale kein Rückschluss auf Einzelne möglich ist. Generell sollte bei der Kombination aller Merkmale keine Gruppe mit weniger als fünf Mitarbeiterinnen entstehen, bzw. diese dann nicht ausgewertet werden.

Wenn die Beantwortung dieser beiden Fragen für die Mitarbeiterinnen positiv ausgeht, werden Sie ggf. auch 20 Minuten für die Bearbeitung eines längeren und detaillierteren Fragebogens akzeptieren. Grundsätzlich sollte das Ausfüllen während bezahlter Arbeitszeit stattfinden.

Sie sollten sich vor einer Mitarbeiterbefragung darüber im Klaren sein, dass die reinen Zahlen und statistischen Werte Ihnen kein hinreichend genaues Bild von den Belastungen und Gesundheitsrisiken liefern, um daraus unmittelbar zielführende Maßnahmen des Gesundheitsschutzes ableiten zu können. Beispiel: wenn 60% der Mitarbeiterinnen der Abteilung X angeben, dass es Ihnen Stress bereitet, dass häufig nicht alle benötigten Informationen für ihre Aufgaben verfügbar sind, sehen Sie sicher hier einen Handlungsbedarf. Schließlich deutet dies nicht nur auf Stress und Ärger seitens der Beschäftigten hin, sondern auch auf vergeudete Arbeitszeit und mangelnde Effizienz. Aber: um welche Informationen handelt es sich genau? Und warum stehen diese nicht zur Verfügung? Warum betrifft dies einen Teil der Mitarbeiterinnen, aber nicht alle? Welche betrifft es denn überhaupt?

Sie werden daher nach einer Mitarbeiterbefragung weitere Schritte benötigen, z.B. Workshops mit den Mitarbeiterinnen oder Interviews oder Vor-Ort-Untersuchungen, um diese Details zu ermitteln. Bitte machen Sie sich dies vor einer Mitarbeiterbefragung deutlich, damit Ihre Planung (vorgesehene Schritte, Zeitplanung, Budget) und Ihre Ankündigungen an die Mitarbeiterinnen von vornherein realistisch sind.

2: INTERVIEWS MIT DEN MITARBEITERN

Interviews eignen sich vor allem für die Analyse und Bewertung psychischer Belastungen und Beanspruchungen.

Der große Nachteil von Fragebögen wurde in Kap.1 genannt: das Fehlen von Detailinformationen. Nur diese aber ermöglichen erst die Identifizierung geeigneter Maßnahmen, um Fehlbeanspruchungen von Mitarbeitern zu reduzieren.

Dazu ein Beispiel: die Servicemonteure eines Unternehmens fahren tagsüber mit ihren Autos von einem Kunden zum nächsten. Sie führen bei ihren Kunden Wartungs- und Reparaturtätigkeiten aus. Sie haben Abstimmungsbedarf mit ihren Kollegen („Du warst doch neulich bei Kunde X. Sag mir mal …) und ihren Kunden („Ich bin auf dem Weg, komme 10 Minuten später, wo genau ist der Zugang zu …?). Sie besitzen aber keine Freisprecheinrichtung in ihrem Auto. Die offizielle „Ansage" lautet: Beim Autofahren soll nicht telefoniert werden. Nun ist es aber andererseits sehr naheliegend und sehr praktisch, gerade die Autofahrten zum Telefonieren zu nutzen, zumal auch alle Mitarbeiter unter erheblichen Zeitdruck stehen, wenn sie ihr vorgesehenes Tagespensum schaffen wollen. Was ist die Folge: die Kollegen telefonieren während der Fahrt mit ihren privaten Handys. Sie haben natürlich dabei ein schlechtes Gewissen und fürchten negative Konsequenzen, wenn das bekannt wird. Und sie gehen beim Fahren ein unnötiges Risiko ein. Wir haben hier also eine psychische Fehlbelastung, welche dringend abgestellt werden sollte und welche auch relativ einfach abzustellen ist: durch Freisprecheinrichtungen. Solche ganz speziellen Belastungssituationen gibt es in allen Unternehmen und allen Arbeitsbereichen und sie sind durch Fragebögen nicht zu entdecken. Fragebögen sind immer standardisiert und bieten nur eine begrenzte Anzahl relativ allgemeiner Fragen. Im Falle einer Mitarbeiterbefragung per Fragebogen hätten die Monteure vielleicht einen kritischen Wert angekreuzt bei der Frage nach geeigneten Arbeitsmitteln. Vielleicht wären sie aber auch durch den Fragebogen gar nicht an diese Problematik erinnert worden, weil die Fragen halt alle allgemein formuliert sind. So oder so wären die betrieblich Verantwortlichen nicht auf dieses Thema aufmerksam geworden.

Interviews besitzen gegenüber Fragebögen den großen Vorteil ihrer Offenheit für alle erdenklichen speziellen und besonderen Arbeits- und Belastungssituationen. Es sollte natürlich einen betrieblich abgestimmten Interviewleitfaden geben, aber die dort aufgeführten Fragen werden eben nicht einfach mit „Ja", „Nein" oder Skalenwerten beantwortet. Sondern zu jeder Frage wird ein kleines, individuelles Gespräch geführt. Zum Beispiel mag eine Frage lauten: „Kommt es vor, dass Sie während Ihrer Arbeit sehr unter Zeitdruck geraten?". Bejaht der interviewte Mitarbeiter diese Frage, wird der Interviewer in mehreren Schritten nachhaken: „Wann genau passiert dies?" „Wodurch bedingt?" „Wie häufig?" „Wie reagieren Sie in diesen Situationen?" „Was ist für Sie hilfreich und entlastend?" „An wen können sich wenden?" „Ist dies für Sie eher eine motivierende Abwechslung und Herausforderung oder eher ein Belastung?" usw.

Ein Interview, welches alle unter gesundheitlichen Gesichtspunkten relevanten Aspekte der Arbeitssituation hinterfragt, wird ein bis zwei Stunden dauern, abhängig von der Komplexität des Arbeitsbereiches und von den generellen Kenntnissen, die der Interviewer von diesem Arbeitsbereich, den konkreten Tätigkeiten dort und den Schnittstellen zu anderen Unternehmensbereichen besitzt.

Dies hört sich vielleicht sehr aufwendig an, aber es entfallen bei dieser Vorgehensweise eben die bei Fragebögen notwendigen Detailanalysen, z.B. durch Workshops. Auch müssen diese Interviews nicht mit allen Mitarbeitern eines Arbeitsbereiches geführt werden. Es reicht eine geschickte, repräsentative Auswahl von 10 bis 15% der Beschäftigten, abhängig von Homogenität bzw. Heterogenität der Arbeitssituationen (Tätigkeiten, Arbeitsmittel, Arbeitszeiten usw.). Alle grundsätzlichen, wesentlichen Belastungsfaktoren können auf diese Weise ermittelt werden. Ganz persönliche, individuelle Problemlagen können mit einer Gefährdungsbeurteilung (ob Fragebogen, Workshop oder Interview) generell nicht ermittelt werden. Hierfür bedarf es zusätzlicher betrieblicher Strukturen und Angebote, z.B. eines internen Ansprechpartners (Sucht- und Konfliktberatung, Betriebsarzt, Betriebsrat, Mobbingberater, ...) oder eines externen Dienstleisters (Employer Assistance Programm/ EAP).

Die Interviews sollten von Menschen geführt werden, welche

- gute Gesprächskompetenzen besitzen
- hinreichende arbeitspsychologische Kenntnisse besitzen
- in der Lage sind, eine neutrale, nicht von Interessen geleitete Beurteilung der Belastungen und Beanspruchungen vorzunehmen. Dies bedingt persönliche Kompetenzen („Standing") und eine entsprechende unabhängige Rolle im Unternehmen oder als externer Berater.

Der Bericht ist von dem Interviewer bzw. Untersucher so zu verfassen, dass keine Rückschlüsse auf Einzelaussagen möglich sind. Bei dem oben genannten Beispiel würde also die Situation beschrieben, in der sich die Monteure durch die fehlende Freisprecheinrichtung befinden. Die Situation wird aus arbeitspsychologischer Sicht bewertet und es werden Empfehlungen ausgesprochen. Die Interviews dienen also dazu, dass der Untersucher sich ein eigenes, unabhängiges, detailliertes Bild von der Arbeitssituation machen kann. Der Untersucher formuliert dann eine eigene Meinung, wie in einem Gutachten, und übernimmt dafür die Verantwortung. Die Interviewpartner geraten so nicht in die „Schusslinie", zumal die Aussagen in dem Bericht so transparent und nachvollziehbar beschrieben werden, dass sich niemand fragen muss „Wer hat das denn behauptet?".

3: DAS ARBEITSGRUPPENKONZEPT ZUR GEFÄHRDUNGS-BEURTEILUNG PSYCHISCHER BELASTUNGEN

Verbinden Sie die Konzepte aus Kap.1 und Kap.2: Sie fragen die Mitarbeiterinnen, aber diese machen nicht nur Kreuze, sondern beschreiben Ihre Arbeitssituation (nicht individuell, sondern bezogen auf das ganze Team/ den ganzen Arbeitsbereich) so detailliert und nachvollziehbar, wie in einem Interviewverfahren. Sie interviewen sich quasi selbst, befragen aber ggf. auch Kolleginnen.

Der gesamte Prozess einschließlich hinreichender fachlicher Unterstützung der beteiligten Mitarbeiterinnen beinhaltet drei gemeinsame, jeweils eintägige, Workshops.

Workshop 1: Alle Mitarbeiterinnen eines Arbeitsbereiches (bei kleineren und mittleren Arbeitsbereichen) bzw. eine repräsentative Auswahl (bei größeren Arbeitsbereichen) werden zunächst über grundlegende arbeitspsychologische Erkenntnisse und Konzepte informiert: Stresskonzepte, Ressourcenkonzepte, Anforderungs-Kontroll-Modell u.a. Anschließend wird die Methodik der Gefährdungsbeurteilung durch Arbeitsgruppen vorgestellt und erörtert. Schließlich wird zu jedem der zehn Analysethemen das genaue Vorgehen in der entsprechenden Arbeitsgruppe beschrieben und diskutiert.

Nun werden die Arbeitsgruppen gebildet. Jede Gruppe sollte drei bis vier Mitglieder besitzen, bei kleinen Arbeitsbereichen ggf. nur zwei.

Es gibt Arbeitsgruppen zu folgenden Analysethemen:

- Arbeitsmenge (zuviel? zuwenig? passend?), Arbeitspensum, Termindruck;
- Fachliche Anforderungen (zu schwer? zu einfach? passend?), Verantwortung, Spielräume;
- Qualität der Arbeit: Ganzheitlichkeit, Wichtigkeit, Sinnhaftigkeit, Variabilität, Arbeitszeiten;
- Arbeitsorganisation, Arbeitsabläufe, Schnittstellen, Störungen und Behinderungen;
- Zusammenarbeit im Team, Arbeitsklima, soziale Unterstützung;
- Führungsverhalten: Rückmeldungen, Respekt, Wertschätzung, Fairness, Rückendeckung u.a.;
- Arbeitsmittel (geeignet? verfügbar?) und Software (aufgabenangemessen? selbsterklärend? fehlertolerant?);
- Informationsfluss (aufgabenbezogene Informationen: verfügbar? aktuell? vollständig?);
- Betriebliche Einbindung (betriebliche Informationen, Beteiligung, berufliche Perspektiven);
- Emotionale Belastungen (z.B. im Kontakt mit Kundinnen, Klientinnen, Patientinnen).

Jede Arbeitsgruppe erhält eine kleine Arbeitsmappe mit einer Beschreibung des Themas und einem Formular zur Dokumentation der Analyseergebnisse. Die Gruppe hat im Anschluss an den ersten Workshop ca. 4 Wochen Zeit, um zu ihrem Analysethema folgende Fragen zu beantworten:

- Welche positiven Aspekte und Beispiele gibt es?
- Welche negativen Aspekte und Beispiele gibt es?
- Wie fällt die Gesamtbilanz und –bewertung aus?

Beispiel zum Analysethema „Arbeitsmittel":

Die Arbeitsgruppe beginnt mit einer Aufstellung aller in diesem Arbeitsbereich für die Tätigkeiten verfügbaren Arbeitsmittel. Diese werden jeweils dahingehend bewertet, ob sie für die Tätigkeiten gut geeignet sind, sicher und angenehm in der Handhabung, zuverlässig verfügbar usw. Im Falle einer negativen Bewertung wird kurz beschrieben, welche Folgen diese Mängel für die Arbeitsqualität und für die Belastung der Mitarbeiterinnen haben.

Weiterhin wird ggf. aufgelistet, welche Arbeitsmittel fehlen und welchen Nutzen sie hätten mit Blick auf die Arbeitsqualität und auf die Belastung der Mitarbeiterinnen.

Nun kommt der bewertende Teil. Die Mitarbeiterinnen beurteilen:

1. Welche Arbeitsmittel sind gut geeignet für die tägliche Arbeit und stellen eine wichtige Ressource für Zufriedenheit und Gesundheit dar?
(→ „grün")

2. Welche Arbeitsmittel sind nur bedingt geeignet und erschweren dadurch die Arbeitserledigung und begünstigen somit psychische Fehlbeanspruchungen (z.B. Stress oder Ärger)? Welche Arbeitsmittel fehlen und würden eine gute Entlastung bedeuten? (→ „gelb")

3. Welche Arbeitsmittel sind so ungeeignet oder fehlen so dringend, dass sehr häufige und/ oder sehr gravierende Fehlbeanspruchungen der Mitarbeiterinnen begünstigt werden? (→ „rot")

Schließlich formulieren die Mitglieder der Analyseteams Empfehlungen für zielführende Maßnahmen des Gesundheitsschutzes, also zur Reduzierung der Risiken für Fehlbeanspruchungen.

Bei der Arbeit an ihrem jeweiligen Thema sollen die Mitglieder der Arbeitsgruppen nicht „im eigenen Saft schmoren". Sie dürfen und sollen über ihr Thema auch mit den Kolleginnen sprechen, um zu einer repräsentativen Gesamteinschätzung zu kommen. Genau wie beim Interviewverfahren (Kap.2) geht es aber nicht darum, nur Meinungen zu zählen und sich dem Mehrheitsurteil anzuschließen. Es geht in den Gesprächen mit den Kolleginnen vielmehr darum, möglichst viele Aspekte und Argumente zu berücksichtigen, um zu einem wirklich fundierten Urteil zu gelangen. Für dieses Urteil verantwortlich ist die Gruppe selbst!

Workshop 2: An diesem Tag werden alle Gruppen jeweils ca. eine Stunde lang bei der Bearbeitung ihres Themas fachlich beraten, vorzugsweise durch die arbeitspsychologisch kompetente Person, die auch den ersten Workshop geleitet hat. Es geht hier vor allem um die bewertenden Teile der jeweiligen Teilanalysen. So wird sichergestellt, dass diese Bewertungen die gesicherten arbeitswissenschaftlichen Erkenntnisse hinreichend berücksichtigen und sich nicht nur auf persönliche Meinungen und Wünsche stützen.

Anschließend haben die Arbeitsgruppen weitere vier Wochen Zeit, um ihre Analysen abzuschließen.

Workshop 3: Jetzt treffen sich wieder, wie beim 1. Workshop, alle Beteiligten gemeinsam. Jede Arbeitsgruppe stellt ihr Ergebnis vor, also die Bestandsaufnahme der Arbeitssituation, eine Bewertung etwaiger Fehlbeanspruchungen und ggf. Empfehlungen für Maßnahmen des Gesundheitsschutzes. Die Gesamtgruppe diskutiert dieses Ergebnis und beschließt entweder, dieses Teilergebnis zu akzeptieren oder noch Veränderungen vorzunehmen.

Das auf diese Weise erstellte und von allen (ggf. repräsentativ ausgewählten) Mitarbeiterinnen eines Arbeitsbereiches akzeptierte Gesamtergebnis wird anschließend den für Gesundheitsfragen betrieblich Verantwortlichen übergeben. Diese sind dann — unter Berücksichtigung der gesetzlichen Mitbestimmung — dafür verantwortlich, verbindliche Beschlüsse zu fassen und die Mitarbeiterinnen entsprechend zu informieren.

4: Die Bewertung körperlicher Belastungen

Muskel-Skelett-Erkrankungen sind seit vielen Jahren die häufigste Ursache für krankheitsbedingte Fehlzeiten. Die psychischen Belastungen spielen dabei nachweislich eine wichtige Rolle. Ursächlich für diese Beschwerden und Erkrankungen ist aber meist die Kombination aus körperlichen und psychischen Fehlbelastungen. Für die Ermittlung der psychischen Fehlbelastungen wurden drei Vorgehensweisen vorgestellt (Kap.1 bis Kap.3). Wie aber können körperliche Fehlbelastungen im Rahmen einer Gefährdungsbeurteilung ermittelt werden?

Zunächst einmal können die Mitarbeiter im Rahmen von Mitarbeiterbefragungen oder Interviews (siehe Kap.1 bis Kap.3) dazu befragt werden. Dies reicht jedoch für eine verlässliche Bewertung gesundheitlicher Risiken nicht aus. Nutzen Sie die Kompetenzen einer Berufsgruppe, die sich wie keine zweite mit den ganzheitlichen Zusammenhängen im menschlichen Körper, dem Zusammenspiel von Knochen, Sehnen, Muskeln, Organen und Sinnesorganen auskennt: den Physiotherapeuten. Es gibt auf dem Beratermarkt aus dieser Berufsgruppe Experten für die Analyse von typischen Körperhaltungen und Bewegungsabläufen in der Arbeit und die Diagnose von Fehlbelastungen und Gesundheitsrisiken. Basierend auf dieser Analyse, können sich die Lösungen, also die Maßnahmen des Gesundheitsschutzes, entweder auf eine gesündere Gestaltung von Arbeitsplätzen und Arbeitsabläufen, auf die Bereitstellung von Hilfsmitteln zur Entlastung, aber auch auf ein gesünderes Arbeitsverhalten der Beschäftigten beziehen.

Die fachkundige Analyse und Bewertung körperlicher Belastungen ist für alle Tätigkeiten erforderlich, nicht nur bei schwerer körperlicher Arbeit. So werden beispielsweise auch bei Bildschirmarbeit Zusammenhänge erkannt und berücksichtigt, welche bei den typischen Arbeitsplatzbegehungen (der Monitor steht „richtig" oder „falsch") nicht wahrgenommen werden.

Physiotherapeuten (mit entsprechender Zusatzausbildung, bezogen auf die betriebliche Arbeit!) können aber nicht nur wertvolle Beiträge zur Analyse und Gefährdungsbeurteilung liefern. Auch ihr Einsatz bei Schulungen und Unterweisungen zum gesunden, körpergerechtem Arbeiten erhöht deutlich die Wahrscheinlichkeit, dass die Teilnehmer anschließend ihr Verhalten entsprechend verändern (siehe Band II: Verhaltensprävention).

5: FRÜHWARNSYSTEM

In den bisherigen Kapiteln ging es um die umfassende, gründliche Analyse von Belastungen und Beanspruchungen, entsprechend den gesetzlichen Vorschriften einer Gefährdungsbeurteilung. Welche Methode Sie dafür auch wählen, es handelt sich dabei um einen gewissen Aufwand, den Sie maximal einmal im Jahr betreiben werden.

Sie sollten jedoch auch zwischenzeitlich die Belastungssituation Ihrer Mitarbeiterinnen im Blick behalten. Denn je früher Fehlbeanspruchungen festgestellt werden, desto eher können ernsthafte Folgen, z.B. Erkrankungen, Unfälle, Konflikte oder "Innere Kündigung" verhindert werden.

Körperliche und psychische Beeinträchtigungen und Erkrankungen entstehen meist über einen längeren Zeitraum, in dem noch sehr gut gegengesteuert werden kann. Beginnende Fehlbeanspruchungen schlagen sich zunächst und bereits kurzfristig in der Stimmung der Mitarbeiterinnen wieder. Diese Stimmung unterliegt natürlich – auch unabhängig von betrieblichen Faktoren – gewissen Schwankungen. Wenn jedoch eine grundsätzliche Tendenz zum Negativen in einem Arbeitsbereich deutlich wird, sollten Sie den Dingen auf den Grund gehen.

Wie lässt sich nun diese Mitarbeiterinnen-Stimmung mit wenig Aufwand und in kurzen Zyklen, also mindestens einmal im Monat messen? Sie sollten zunächst einmal ein paar Stunden investieren, um gemeinsam mit den Mitarbeiterinnen (eines Arbeitsbereiches) zu erörtern und zu entscheiden, welches genau die acht bis zwölf wesentlichen Faktoren sind, welche darüber entscheiden, ob die Mitarbeiterinnen gerne zur Arbeit kommen und mit einem befriedigenden Gefühl wieder nach Hause fahren, oder ob sie sich eher zur Arbeit quälen und froh sind, wenn der Arbeitstag vorüber ist, z.B. wegen ständiger Überlastung, mangelnder Erfolgserlebnisse, schlechtem Arbeitsklima, erlebten Kränkungen o.a.

Zu den vorbereitenden Arbeiten gehört dann nur noch die technische Umsetzung. Wollen Sie mit Fragebögen arbeiten? Weniger Arbeit machen elektronische Abfragen. Es gibt Dienstleister, welche Online-Tools anbieten. Oder Sie lassen einmal ein kleines EXCEL-Makro schreiben: „Lese alle Dateien aus Ordner X, führe folgende Berechnungen durch, erstelle folgende Ergebnistabellen, erstelle folgende grafische Darstellungen der Ergebnisse". Die Mitarbeiterinnen müssen dann nur einmal (in der Woche, im Monat) ihre acht bis zwölf Kreuze in dem EXCEL-Formular machen und es unter einem einmaligen Dateinamen (Pseudonym) in einem bestimmten Ordner auf dem Server ablegen. Die Auswertung kann anschließend „auf Knopf-druck" erstellt werden. Geben Sie den Mitarbeiterinnen jeweils vier Bewertungs-möglichkeiten, z.B. bei der Aussage „Ich hatte diese Woche/ diesen Monat richtige Erfolgserlebnisse in meiner Arbeit": Das trifft voll zu – Das trifft eher zu – Das trifft eher nicht zu – Das trifft gar nicht zu.

Bekommen Führungskräfte bzw. betriebliche Gesundheitsfachkräfte auf diese Weise frühzeitig (anonyme!) Hinweise auf bedenkliche Entwicklungen in bestimm-ten Arbeitsbereichen oder Teams. so können die Ursachen rechtzeitig ermittelt und nach Möglichkeit beseitigt werden.

6: ENTWICKLUNG EINER KONFLIKTKULTUR

„Soziale Unterstützung" ist eine der wichtigsten Gesundheitsressourcen, privat wie beruflich. Wenn die Kollegen zusammenhalten, sich wertschätzen, aufeinander Rücksicht nehmen und sich gegenseitig unterstützen, so wird dies entscheidend dazu beitragen, gesund zu bleiben, gerne morgens zur Arbeit zu kommen und sich mit seiner Arbeit und dem Unternehmen zu identifizieren.

Wenn Sie diese Ressource nutzen und fördern wollen, sollten Sie zuallererst alle expliziten wie impliziten Anreize für unkollegiales Verhalten ausschließen. Also bitte keine Aufforderungen, „Verstöße" von Kollegen zu melden und keine Beloh-nung von Leistungen, welche auf Kosten anderer erbracht wurden, und sei es nur durch die absolute Fokussierung auf die eigenen Aufgaben, ohne links und rechts zu schauen. Loben Sie dagegen ausdrücklich kollegiales Verhalten.

Jetzt ist es aber so, dass eine Gruppe von Menschen nicht vorstellbar ist ohne Konflikte, Vorbehalte und Antipathien. Und wenn diese Gruppe, z.B. das Arbeits-team, nicht lernt, mit diesen negativen Gefühlen und Impulsen konstruktiv umzu-gehen, wird entweder offene Aggression entstehen, welche sowohl den Betroffe-nen wie dem Unternehmen gravierend schaden kann. Oder es entsteht eine Scheinharmonie, welche alle latenten Konflikte überdeckt. Dies scheint mir der häufigste Fall zu sein.

Sie sollten daher davon ausgehen, dass alle Mitarbeiter und alle Teams und insge-samt Ihr Unternehmen davon profitieren, wenn Sie ihre Teams bei der Entwicklung einer konstruktiven Konfliktkultur unterstützen. Wie geht das? Über ein behut-sames und beharrliches Üben von gegenseitigem Feedback.

Etablieren Sie in Ihrem Unternehmen regelmäßige Maßnahmen der Teamentwick-lung und orientieren Sie sich, falls Sie mögen, an folgendem „Fahrplan":

- Kennenlernen: vor allem bei neu zusammengestellten Teams helfen alle Übungen und Spielchen, die dazu beitragen, dass die Teilnehmer sich etwas öffnen und von sich berichten. Dies fördert vor allem das Verständnis, warum sich jemand manchmal so und so verhält (z.b. aufgrund familiärer Belastungen).

- Reflexion der Arbeit: hier geht es auf der „Sachebene" um Aufgabenverteilungen und Abläufe. Wissen alle, für was sie zuständig sind? Wird die Aufteilung als gerecht empfunden? Gibt es Wünsche und Verbesserungsvorschläge? Selbstverständlich ist auch bei dieser überwiegend sachlichen Diskussion damit zu rechnen, dass bestimmte Konflikte sichtbar werden. Der Moderator kann dies sofort zum Anlass nehmen, um Feedbackregeln zu erläutern, zu vereinbaren und zu trainieren.

- Persönliches Feedback: wenn ein Team sich entwickelt hat und in der täglichen Arbeit zusammengewachsen ist, sollte es möglich sein, den nächsten Schritt zu machen. Unter behutsamer Anleitung und ständiger Erinnerung an die Feedbackregeln werden die Kollegen aufgefordert, sich gegenseitig Feedback zu geben. Immer in Zweiergesprächen. Letztendlich jeder einmal mit jedem. Vorschlag für das Feedbackschema:
  - Ich schätze an Dir (besonders), ….
  - Ich wünschte, Du würdest (manchmal/ häufiger/ seltender) …

Diese Formulierung als Wunsch ist die sanfteste und rücksichtsvollste Form einer Kritik. Dennoch fällt es vielen Menschen schwer, einen solchen Wunsch zu äußern, aber auch, ihn von jemandem anzunehmen. Persönliches Feedback löst häufig heftige emotionale Reaktionen aus. Der Moderator sollte in der Lage sein, damit umzugehen, wenn z.b. ein offener Streit entsteht oder Tränen fließen. Stellen Sie dann aber bitte nicht die Sinnhaftigkeit dieses Vorgehens in Frage. Es gehört zu Reifeprozessen von Beziehungen, privat wie beruflich, Emotionen zu akzeptieren und zu lernen, mit ihnen umzugehen. Dies heißt vor allem, eigene Emotionen und die der Anderen urteilsfrei anzunehmen. Sie sind weder gut noch schlecht, weder richtig noch falsch. Sie sind nur gerade da und können genutzt werden, um Beziehungen zu vertiefen und Vertrauen zu festigen. Und genau an diesen Zielen sollte sich jede Reaktion auf Emotionen, jedes Feedback orientieren.

Zur Erinnerung: was sind noch mal die üblichen und sinnvollen Regeln für Feedback?

1. Beschreiben Sie konkret das spezielle Verhalten, auf dass sich Ihr Feedback bezieht (anerkennend oder kritisch). Stellen Sie bitte keine Vermutungen oder gar Behauptungen auf über Kompetenzen oder Charaktereigenschaften. Also
   „Du hast auf Teamsitzungen immer viele Ideen, die ich interessant/ nützlich/ hilfreich finde"

15

statt
„Ich finde das toll, wie kreativ Du immer bist"
und
„Ich wünschte, Du würdest beim Telefonieren leiser sprechen, damit ich nicht so sehr abgelenkt werde"
statt
„Du bist häufig so rücksichtslos, z.B. wenn Du telefonierst".

Für Geübte sind dann irgendwann natürlich auch schärfere Formulierungen erlaubt, als „Ich wünschte". Es bleibt aber dabei, erlebtes Verhalten des Anderen konkret zu beschreiben, sowie die eigene Reaktion darauf zu benennen. Also immer schön bei den ICH-Botschaften bleiben. Beispiel: „Ich finde, Du sprichst immer sehr laut, wenn Du telefonierst. Das ärgert mich, weil ich mich dann kaum noch auf meine Arbeit konzentrieren kann. Nimm doch bitte in Zukunft mehr Rücksicht! OK?".

2. Wenn Sie Feedback bekommen, hören Sie bitte aufmerksam zu. Verdeutlichen Sie sich, dass hier keine Wahrheiten verkündet werden, selbst wenn der Feedbackgeber den Punkt 1 nicht berücksichtigt und glaubt, solche Wahrheiten zu verkünden. Sie wissen es besser. Der Feedbackgeber beschreibt seine subjektiven Wahrnehmungen und Empfindungen. Widerstehen Sie dem Impuls, zu widersprechen: „Das stimmt gar nicht. Ich rede immer ganz leise beim Telefonieren. Du steigerst Dich da in etwas rein!". Prüfen Sie einfach wohlwollend, ob Sie dem Wunsch des Anderen folgen möchten oder nicht. Sie können selbstbewusst zu Ihrer Reaktion stehen, ohne den Anderen zu diskreditieren:
„Gut, dass Du mir das sagst. Das war mir gar nicht klar. Ich werde versuchen, darauf zu achten. Gib mir ein Signal, wenn ich es vergesse und wieder so laut werde. Das ist nicht böse gemeint. Aber ich konzentriere mich halt so auf meinen Gesprächspartner und das Thema, das ich alles andere vergesse".
oder
„Tut mir leid, wenn Dich das stört. Aber ich muss nun mal viel telefonieren. Und wenn ich sehr leise spreche, finden das meine Gesprächspartner sicher merkwürdig, so als wenn es um Geheimnisse geht. Auch gehört eine gewisse Lebhaftigkeit für mich dazu und ist sicher auch wichtig für meine Beziehungen zu den Kunden. Vielleicht sollten wir mit unserem Chef sprechen, ob es andere räumliche Möglichkeiten gibt für Dich oder für mich. Was meinst Du?

7: BETRIEBLICHE VERÄNDERUNGSPROZESSE

BETEILIGUNG DER MITARBEITERINNEN

UND ABSCHÄTZUNG DER FOLGEN

Völlig unabhängig von der Frage, ob sich bestimmte betriebliche Veränderungen „objektiv" negativ auf die Arbeitssituation von Beschäftigten auswirken, können Sie mit negativen Reaktionen von Unmut und Leistungseinbußen („So kann ich nicht arbeiten!") bis hin zu erhöhten Fehlzeiten rechnen, wenn Sie Ihre Mitarbeiterinnen an dem Entscheidungsprozess hinsichtlich der geplanten Veränderungen nicht beteiligen.

Geht das denn immer? Ja! Denn Beteiligung heißt weder, es Allen in jeder Hinsicht Recht zu machen, noch über die letztendliche Entscheidung demokratisch abzustimmen. Beteiligung heißt, alle Beschäftigten in jeder Phase eines Veränderungsprozesses ehrlich und umfassend über die Notwendigkeit von Veränderungen, die Zielsetzung des Veränderungsprozesses, die zu erwartenden Auswirkungen und den aktuellen Stand des Prozesses zu informieren. Darüber hinaus erhält eine repräsentative Auswahl der Mitarbeiterinnen („Beteiligungsgruppe"), z.b. wöchentlich, die Gelegenheit, die Sicht der Beschäftigten, deren Sorgen und Befürchtungen, die eigenen Wünsche, sowie konkrete Vorschläge für die Details der Umsetzung zur Sprache zu bringen. Das Unternehmen profitiert auf diese Weise nicht nur von der höheren Akzeptanz der Veränderung, sondern erhält zusätzlich eine höhere Qualität in der Umsetzung. Schließlich wissen die Mitarbeiterinnen am besten, was ihre tägliche Arbeit erleichtert oder erschwert.

Es sollte aber bei diesem Beteiligungsprozess neben den Aspekten Akzeptanz und Qualität des Veränderungsprozesses zusätzlich um einen dritten Aspekt gehen: der Arbeitsbelastung. Es wäre doch ziemlich fatal, diesen Aspekt zu vernachlässigen, um dann bei der nächsten Gefährdungsbeurteilung festzustellen, dass die Veränderungen zusätzliche Fehlbelastungen und Gesundheitsrisiken verursachen und nachträgliche Korrekturen erfordern.

Um die veränderte Belastungssituation, möglicherweise mit einer Mischung aus Verbesserungen und Verschlechterungen, im Vorfeld abschätzen zu können, benötigen Sie zunächst betrieblich vereinbarte Kriterien für „Gute Arbeit", bzw. „Menschengerechte Arbeit" bzw. „Gesundheitsverträgliche Arbeit". Orientieren Sie sich z.B. an den in Kap.3 aufgeführten Analysethemen (siehe auch Kap.13).

Erarbeiten Sie auf dieser Grundlage in der Beteiligungsgruppe eine gemeinsame Einschätzung der zu erwartenden Auswirkungen des Veränderungsprozesses auf die Belastung der Mitarbeiterinnen. Wie bei einer Gefährdungsbeurteilung müssen sie diese Einschätzungen differenzieren nach Gruppen von Beschäftigten, z.B. Arbeitsteams, und nach Hierarchie: was ändert sich für Teammitglieder, für die

Teamleitung, für die Abteilungsleitung usw.? Einschätzungen sind jeweils zu begründen. Beispiel: die Arbeitsmenge im Team Y wird zunehmen um x Prozent, weil
…, aber die Bearbeitung wird auch vereinfacht und beschleunigt um Faktor Z wegen
Arbeitsmittel V. Insgesamt ist eine Arbeitsverdichtung zu erwarten/ nicht zu erwar-
ten, weil …

Sie leisten mit dieser Vorgehensweise gute Beiträge zur Qualität und Wirtschaft-
lichkeit Ihrer betrieblichen Veränderung, zur Akzeptanz dieser Veränderung sowie
zum Erhalt der Gesundheit und Arbeitsfähigkeit Ihrer Beschäftigten.

8: ERFOLGSFAKTOREN FÜR GESPRÄCHE MIT DEN MITARBEITERN

1. Überlegen Sie sich, was Sie erreichen wollen!

Es ist erstaunlich, wie viele wichtige Gespräche in Unternehmen geführt werden,
ohne dass sich die Gesprächspartner im Vorfeld überlegen, was Sie eigentlich erreichen wollen. Nach einem solchen Gespräch erübrigt sich die Frage, ob das Ziel
erreicht wurde, da es gar keines gab. Es bleibt ein mehr oder weniger befriedigen-
des Bauchgefühl gemäß dem Motto „Gut, dass wir darüber gesprochen haben".

Natürlich lassen sich Gespräche mit anderen Menschen nicht genau vorausplanen.
Sie wissen ja nicht genau, wie der Andere auf ihre Fragen oder Anliegen reagiert.
Aber Sie sollten schon wissen, was Sie sich von dem Gespräch versprechen und was
Sie erreichen wollen. Sie sollten also ein Ziel haben. Natürlich ist es auch möglich,
im Laufe des Gespräches dieses Ziel zu verändern. Läuft das Gespräch sehr gut,
versuchen Sie vielleicht noch weiter zu kommen, als ursprünglich geplant. Oder bei
einem negativen Verlauf reduzieren Sie vielleicht Ihr Ziel oder begnügen sich mit
einem Teilerfolg, den Sie dafür umso entschlossener anstreben.

Es fällt vielen Menschen schwer, ein Gesprächsziel zu benennen. Bei ersten Versuchen, z.B. im Rahmen von Kommunikationstrainings, werden meist zunächst Ziele
benannt, die weit über das Gespräch hinausreichen. Beispiel: nach einem Kritikge-
spräch soll der Mitarbeiter ab sofort immer pünktlich zur Arbeit kommen. Dieses
Ziel kann in dem Gespräch nicht erreicht werden! Realistische Gesprächsziele in
diesem Fall könnten sein:

- Der Mitarbeiter sieht ein – und bekundet dies ausdrücklich – das ein Zu-
  spätkommen für den Vorgesetzen nicht tolerierbar ist, weil …. (gute
  Gründe sollte es schon geben).
- Der Vorgesetzte versteht, warum der Mitarbeiter in letzter Zeit mehrfach
  zu spät kam.
- Der Mitarbeiter verspricht, ab sofort pünktlich zu sein.

Beispiele für Ziele von Mitarbeitergesprächen aus Sicht des Vorgesetzten:

- Ich weiß, wie Mitarbeiter Meier mein Führungsverhalten wahrnimmt
- Ich weiß, ob Mitarbeiter Meier mit der Arbeitssituation zufrieden oder unzufrieden ist und woran dies liegt
- Mitarbeiter Meier weiß, wie ich sein Arbeitsverhalten einschätze
- Mitarbeiter Meier kennt meine Erwartungen hinsichtlich ...
- Mitarbeiter Meier verspricht, künftig ...
- Mitarbeiter Meier gewinnt durch dieses Gespräch mehr Vertrauen zu mir
- Mitarbeiter Meier respektiert mich nach diesem Gespräch mehr
- Mitarbeiter Meier gewinnt eine neue Motivation für das Projekt ...

2. Sorgen Sie als Erstes für einen tragfähigen Kontakt zum Gesprächspartner!

Unterschätzen Sie niemals die Bedeutung der Beziehungsebene in einem Gespräch! Ihre besten Argumente werden von Ihrem Gesprächspartner noch nicht einmal in Betracht gezogen oder auf ihre Plausibilität geprüft, sondern pauschal abgelehnt, wenn der aktuelle Kontakt geprägt ist von Angst, Ärger oder Desinteresse. Der andere „macht zu", ist nicht „offen" für Sie und Ihre Anliegen. Es bringt auch nichts, dem Anderen diese mangelnde Offenheit vorzuwerfen. Dadurch wird es eher schlimmer, denn es verstärkt das Gefühl:

- Der mag mich nicht
- Der versteht mich nicht
- Der verfolgt nur eigene Interessen

usw.

Es gibt grundsätzlich nur zwei Möglichkeiten, einem Gesprächspartner zu bestimmten Verhaltensweisen zu bewegen: Zwang oder Einsicht. Wenn Sie Zwang ausüben, z.B. Ihre Macht als Vorgesetzter, hat dies den Nachteil, dass der Andere darüber gekränkt und verärgert ist. Er wird – bewusst oder unbewusst – dafür Rache nehmen: bestimmte Vorhaben verschleppen, bestimmte Informationen nicht weitergeben, öfter mal krankfeiern usw. Es gibt sicher bestimmte Situationen, in denen es nicht anders geht. Nachhaltiger ist es aber immer, Gesprächspartner wirklich zu überzeugen. In dem Fall muss es aber, wie gesagt, zunächst gelingen, einen guten, vertrauensvollen, konstruktiven Kontakt zum Anderen aufzubauen.

Gibt es für die Herstellung dieses positiven Kontakts ein Patentrezept oder eine generelle Strategie und Orientierung? Ja! Natürlich ohne Erfolgsgarantie, denn wir können andere Menschen nicht verhexen. Es bleibt immer deren autonome Entscheidung, ob sie uns folgen wollen. Die Erfolgswahrscheinlichkeit hängt auch von der grundsätzlichen Beziehung zueinander ab, also von der gemeinsamen Vorgeschichte und der speziellen Situation, in der das Gespräch stattfindet. Dennoch ist grundsätzlich die Erfolgswahrscheinlichkeit am größten, wenn es Ihnen gelingt, ein ernsthaftes Interesse an Ihrem Gesprächspartner aufzubringen. Das heißt bildhaft gesprochen: „Holen Sie ihn da ab, wo er gerade steht", bewegen Sie sich auf ihn zu.

Stellen Sie sich vor, dass wir Menschen prinzipiell jeder in unserer eigenen Welt bzw. auf unserer persönlichen Insel leben, geprägt durch unsere jeweils einzigartige Biografie, unsere Erlebnisse, unsere Gewohnheiten, wie wir wahrnehmen, denken und handeln, unsere Vorlieben und Abneigungen, unsere Talente, unsere Hemmungen und Ängste, unsere Hoffnungen und Wünsche. Wenn Sie nun mit einem anderen Menschen in Kontakt treten wollen, hilft nur eines: besuchen Sie ihn auf seiner Insel. Schauen Sie sich neugierig dort um. Sie müssen nicht alles schätzen und mögen, was sie dort sehen. Aber achten Sie darauf, dass Sie nichts verurteilen oder verachten.

Dazu ein Beispiel: Ihnen fällt auf, dass ein Mitarbeiter permanent mit einer sehr hohen Intensität arbeitet, häufig Mehrarbeit leistet, die Pausen durcharbeitet, immer weitere Aufgaben und Projekte übernimmt. Sie machen sich Sorgen, dass der Mitarbeiter dieses Pensum nicht lange durchhält. Konkret wollen Sie ihm z.B. ein Projekt entziehen oder ihn bewegen, sich eine Auszeit zu gönnen und die Überstunden abzubauen. Wenn Sie dies nicht einfach anordnen wollen, sondern eine Einsicht des Mitarbeiters erreichen wollen, dann versuchen Sie im Gespräch durch entsprechende Fragen zunächst einmal, ein Bild zu bekommen von dessen aktueller Lebenssituation, ausgehend von dem Verhalten, das Sie konkret beobachten und beschreiben können. Versuchen Sie nachzuempfinden, wie es dem Mann geht: steckt hinter dem Engagement Verzweiflung, der Versuch aufzufallen, persönliche Probleme, denen er ausweichen will? Oder fühlt es sich für den Mitarbeiter einfach gut an, auf der „Überholspur" zu arbeiten und zu leben? Wenn Sie spüren, dass Ihr Gesprächspartner sich öffnet, können Sie beginnen, von Ihren Wahrnehmungen und Befürchtungen hinsichtlich seiner Gesundheit zu berichten. Schauen Sie anschließend gemeinsam nach einer für beide Seiten überzeugenden Vereinbarung. Bedenken Sie: wenn Sie auf diese Weise mit dem Mitarbeiter reden, mag nicht nur dieser nachher anders über sein Verhalten denken als vor dem Gespräch. Ihnen kann es ebenso ergehen!

9: Mitarbeitergespräche werden Präventionsgespräche

Mitarbeitergespräche sind keine Tür-und-Angel-Gespräche und auch nicht anlassbezogen. Unabhängig von dem im Alltag natürlich erforderlichen Austausch zwischen Vorgesetzten und ihren Mitarbeiterinnen sowie anlassbezogenen Informations-, Motivations- oder Kritikgespräche bieten jährliche Mitarbeitergespräche den Rahmen für einen systematischen und gründlichen Austausch und für gegenseitiges Feedback.

Ist es möglich, solche Mitarbeitergespräche auch als ein Instrument der Prävention, des betrieblichen Gesundheitsschutzes zu nutzen? Dies setzt ein Vertrauen der Mitarbeiterinnen in ihre Vorgesetzten voraus. Es ist aber auch möglich, durch ein vorsichtiges und glaubwürdiges Herantasten an Aspekte der Belastung und Gesundheit gerade dieses Vertrauen zu entwickeln. Vorgesetze dürfen dabei aber nicht „mit der Tür ins Haus fallen".

Wie kann dieses Herantasten konkret aussehen? Vielleicht hilft es, zwei Arten von Fragen zu unterscheiden, welche Vorgesetzte an ihre Mitarbeiterinnen im Rahmen von Mitarbeitergesprächen richten:

- Fragen zur Belastung/ Arbeitssituation: nennen wir sie „S-Fragen"
- Fragen zur persönlichen Beanspruchung, zum persönlichen Befinden, nennen wir sie „P-Fragen".

Beginnen Sie mit den harmloseren S-Fragen. Diese Fragen sind auf jeden Fall legitim. Sie betreffen nicht die persönliche Sphäre Ihrer Mitarbeiterin, sondern die Arbeitsbedingungen und -abläufe. Die Legitimität dieser Fragen ergibt sich schon aus dem Bemühen um Qualität und kontinuierliche Verbesserung. Gehen Sie dann über zu den P-Fragen. Bleiben Sie dabei beim gleichen Thema. Wenn eine Mitarbeiterin auf diese Fragen zurückhaltend antwortet, sollte dies respektiert und am besten offen angesprochen werden, z.B.

> „Ich habe den Eindruck, dass Ihnen diese Frage unangenehm ist. Soll ich von solchen persönlichen Fragen absehen? Oder möchten Sie, dass ich Ihnen erläutere, warum ich diese Frage stelle oder wie ich mit Ihren Aussagen umgehen werde?"

oder so ähnlich.

Die im Folgenden beispielhaft aufgeführten Fragen sollen weder alle, noch in dieser Reihenfolge, gestellt werden.

Generelle Arbeitszufriedenheit

S-Fragen	P-Fragen
➢ Können Sie unter guten Voraussetzungen arbeiten? ➢ Können Sie an Ihrem Arbeitsplatz gut arbeiten? ➢ Gibt es Dinge, die Ihre Arbeit erschweren?	➢ Ärgert Sie es manchmal, dass …? ➢ Empfinden Sie es als ungerecht, dass …? ➢ Finden Sie Ihre Arbeit derzeit befriedigend?

Zusammenarbeit

S-Fragen	P-Fragen
➢ Funktioniert die Zusammenarbeit im Team? ➢ Bekommen Sie von mir genug Unterstützung? ➢ Gebe ich Ihnen genügend Rückmeldungen? ➢ Erhalten Sie alle Informationen, die Sie benötigen?	➢ Fühlen Sie sich wohl in Ihrem Team? ➢ Finden Sie das Arbeitsklima angenehm? ➢ Wie erleben Sie meinen Führungsstil? ➢ Gibt es etwas, was Sie sich von mir wünschen? ➢ Wie erleben Sie Ihre eigene Rolle im Team?

Arbeit und Aufträge

S-Fragen	P-Fragen
➢ Funktionieren die für Sie wichtigen Schnittstellen zu anderen Mitarbeitern, Abteilungen, Bereichen, Externen? ➢ Ist Ihnen immer klar, für was Sie zuständig sind? ➢ Ist Ihnen immer klar, was von Ihnen erwartet wird? ➢ Ist Ihnen immer klar, wie Sie sich in bestimmten Situationen verhalten sollen, z.B. im Umgang mit Kunden? ➢ Bekommen Sie Ihr Arbeitspensum in der Regel gut bewältigt? ➢ Haben Sie alles, was Sie brauchen, um gut arbeiten zu können?	➢ Fühlen Sie sich manchmal überlastet? Ggf: wann, wie häufig, wodurch bedingt? ➢ Fühlen Sie sich manchmal unterfordert? ➢ Finden Sie, dass die Arbeit in Ihrem Bereich gerecht verteilt ist? ➢ Finden Sie Ihre Arbeit befriedigend? ➢ Leidet Ihre Gesundheit unter der Arbeitsbelastung? ➢ Leidet Ihre Familie unter Ihrer Arbeitsbelastung?

Perspektiven und Förderung

S-Fragen	P-Fragen
➢ Können Sie in Ihrer Arbeit dazu lernen und sich weiter entwickeln? ➢ Sehen Sie für sich aktuell Schulungsbedarf? ➢ Sehen Sie für sich gute Perspektiven und Entwicklungsmöglichkeiten? ➢ Was sind Ihre Ziele für die nächsten Jahre? ➢ Was kann ich für Sie tun, damit Sie für sich hier eine gute Perspektive sehen?	➢ Sind Sie manchmal frustriert, weil ...? ➢ Würde es Sie persönlich motivieren, wenn ...? ➢ Haben Sie den Eindruck, dass ich mich genügend für Sie einsetze? ➢ Wo möchten Sie persönlich stehen in einigen Jahren?

Bedanken Sie sich ggf. ausdrücklich für die Offenheit der Mitarbeiterin am Ende des Gespräches! Und lassen Sie die Mitarbeiterin in der Folge spüren, dass es sich lohnt, so offen mit Ihnen zu reden.

10: MITARBEITERGESPRÄCHE FÜR ANFÄNGER

Möglicherweise werden in Ihrem Unternehmen noch gar keine Mitarbeitergespräche geführt. Oder es gibt Unternehmensbereiche, wo diese noch nicht etabliert sind. Vielleicht haben Sie Bedenken, die betreffenden Führungskräfte zu überfordern.

Meine Empfehlung bei der Einführung von Mitarbeitergesprächen: Überstürzen Sie nichts, tasten Sie sich gemeinsam heran! Beginnen Sie mit der Etablierung kurzer, etwas 10- bis 20-minütiger Feedbackgespräche. Trainieren Sie die Vorgesetzten – falls möglich ebenso die Mitarbeiter – darin, Rückmeldungen in Form von „Ich-Botschaften" zu geben und aufmerksam zuzuhören.

Diese Schulungen sollten nur minimale Theorieanteile beinhalten und in erster Linie aus Rollenspielen mit anschließender Reflektion bestehen. Keinesfalls sollte der Tenor sein: „So geht Kommunikation richtig" oder „So müsst Ihr ab sofort kommunizieren!". Es geht darum, eigene Erfahrungen zu machen und daraus eigene Einsichten zu gewinnen. Ein einfaches Feedback-Schema zu Beginn kann etwas lauten:

1. Feedback geben:

 ➤ „Ich schätze an Ihnen, ...und ... und ...,
 ➤ „Manchmal würde ich mir wünschen, dass Sie ... und ... und ..."

2. Feedback bekommen:

 ➤ zuhören und Blickkontakt
 ➤ „soziales Murmeln": „Mhm", „Aha", Nicken
 ➤ mit eigenen Worten zusammenfassen (nicht in Frage stellen!): „Sie meinen also, ...", „Sie wünschen sich also, ...", „Es ärgert Sie also, ...".

Wichtig ist, dass die Trainingsteilnehmer lernen, Feedback nicht als objektive Wahrheit, sondern als persönliche Wahrnehmung und Empfindung auszudrücken. Und erhaltenes Feedback nicht in Frage zu stellen, sondern als subjektive Wahrheit des Gesprächspartners zu akzeptieren.

Was können Sie noch tun, um die Wahrscheinlichkeit zu erhöhen, dass diese Mitarbeitergespräche erfolgreich praktiziert werden? Zum einen ist es wichtig, dass die Vorgesetzten solche Gespräche möglichst vorbildlich selber von Seiten ihrer eigenen Vorgesetzten erleben. Zum anderen ist ein regelmäßiger, strukturierter und moderierter Austausch unter den Führungskräften, z.B. alle drei Monate für drei Stunden, sehr hilfreich. Die Teilnehmer können sich hier nicht nur über diese Feedbackgespräche austauschen, sondern darüber hinaus über weitere Erlebnisse und Fragestellungen aus ihrem Führungsalltag.

Sind diese kurzen Feedbackgespräche etabliert und akzeptiert, so können Sie nach und weitere Themen in diese Gespräche integrieren:

- Mitarbeiterförderung und Qualifizierung
- Arbeitsklima und Zusammenarbeit
- Arbeitsbelastung (vgl. Kap.9).

Mitarbeitergespräche sollten immer verbindlich sein. Es macht Sie als Unternehmerin oder leitende Führungskraft unglaubwürdig, „auf dem Papier" regelmäßige Mitarbeitergespräche zu vereinbaren, aber dann zu tolerieren, dass letztendlich jede Führungskraft selbst entscheidet, ob und wie sie es handhabt.

Auf der anderen Seite müssen Sie natürlich auch sicherstellen, dass Ihre Führungskräfte überhaupt die notwendige Zeit dafür besitzen. Die Mitarbeiterkommunikation ist eine Hauptaufgabe von Vorgesetzten. Entlasten Sie diese also entsprechend von der operativen Arbeit, wenn Sie möchten, dass Führung wirklich wahrgenommen wird!

11: MITARBEITERBEURTEILUNG

Gehört das Thema Mitarbeiterbeurteilung in ein Buch über betriebliche Prävention? Ich bin der Meinung, dass viele Beurteilungssysteme der betrieblichen Praxis die Gesundheit der Mitarbeiterinnen gefährden können, immer unter der Voraussetzung einer ganzheitlichen Betrachtungsweise. Fühlen sich Mitarbeiterinnen durch eine als unfair empfundene Bewertung gekränkt oder gedemütigt, begünstigt dies die „Psychische Sättigung". Diese „Fehlbeanspruchungsfolge" (siehe EN ISO 10075-1) wiederum stellt nach einschlägigen wissenschaftlichen Erkenntnissen in der Tat ein Risiko für gesundheitliche Beeinträchtigungen und Erkrankungen dar. Wenn wir das Thema Prävention über Aspekte der Arbeitssicherheit hinausdenken, müssen wir uns also auch mit solchen zentralen Führungsinstrumenten wie der Mitarbeiterbeurteilung befassen und die Frage stellen, ob diese der Gesundheit nützen oder schaden.

Eine wichtige Ressource für Gesundheit ist die persönlich erfahrene Wertschätzung. Haben übliche Beurteilungsgespräche vorrangig einen wertschätzenden Charakter? Oder geht es eher um eine scheinbar objektive Klassifizierung von Menschen, um die Bildung einer Rangordnung, um die Begründung von Bevorzugungen und Benachteiligungen, um den Vollzug selbsterfüllender Prophezeiungen („Sie sind halt nicht so kreativ/ kommunikativ/ zuverlässig/ usw").

Die Vielzahl gut erforschter Beurteilungsfehler (Recenty-Effekt, Halo-Effekt, Rosenthal-Effekt u.a.) füllen viele Bücher und Internetseiten. Wer sich einmal intensiv mit diesen Erkenntnissen befasst hat, muss sich eigentlich von der Vorstellung einer objektiven Bewertung verabschieden. Bleibt also das subjektive Feedback:

> „Frau Meier, mir gefällt besonders gut, dass Sie ..."
> „Ich wünsche mir von Ihnen künftig/ ich erwarte von Ihnen künftig ...".

Damit sind wir dann bei einem Mitarbeitergespräch mit gegenseitigem Feedback, wie im Kapitel 10 beschrieben.

Ich möchte Ihnen den Abschied von Beurteilungssystemen erleichtern, indem ich versuche, für mögliche Motive und Zielsetzungen dieser Gesprächen, Alternativen aufzuzeigen.

1. mögliches Ziel: Die Praxis der Beurteilung verschafft den Führungskräften automatisch Respekt, da die Mitarbeiterinnen immer fürchten müssen, bei der nächsten Beurteilung bestraft zu werden. Dies ist das Prinzip, welches leider schon in den Schulen den Lehrerinnen jegliches Bemühen erspart, sich den Respekt der Schülerinnen durch die eigene Persönlichkeit und durch das eigene Handeln zu verdienen.

Alternative: Sie wählen die Führungskräfte danach aus, dass sie in der Lage sind, aufgrund ihrer Persönlichkeit und ihres Auftretens respektiert zu werden. Außerdem unterstützen, schulen und coachen Sie Ihre Führungskräfte dahingehend. Gemeint ist natürlich kein aggressiv einschüchterndes Verhalten, sondern ein Vorleben der Tugenden Mut, Entschlossenheit, Ehrlichkeit, Verlässlichkeit, Verantwortungsbewusstsein, Mitgefühl, Begeisterungsfähigkeit, Zuversicht, Bescheidenheit.

2. mögliches Ziel: Sie wollen ihre Mitarbeiter nnen leistungsgerecht entlohnen.

Alternative: Gerechte Entlohnung kann es gar nicht geben, da Gerechtigkeit sehr viele Facetten hat. Was die Eine gerecht findet, findet die Andere total ungerecht. Individuelle Beurteilungen aller Mitarbeiterinnen kosten sehr viel Zeit. Häufig werden daher in der Praxis neben diesen Beurteilungsgesprächen keine „normalen" Mitarbeitergespräche mehr geführt, bei denen die Beziehung und das Vertrauen im Mittelpunkt stehen (siehe Kap.8 bis Kap.10). Eine andere gängige Praxis besteht darin, Prämien an Teams an wenige, relevante, objektive Messgrößen zu koppeln. Auch hier sollten Sie sich sehr gut überlegen, ob die Nachteile nicht die Vorteile überwiegen.

Beispiele:

- Die Belohnung hoher Arbeits-/ Produktionsmengen verführt zu einer Selbstausbeutung, die im genauen Gegensatz zur Thematik dieses Buches steht.
- Die Belohnung weniger Unfälle oder weniger Kundenreklamationen wird garantiert Vertuschungsstrategien begünstigen. Auf diese Weise werden aber Lernchancen vertan.

Welche Alternative gibt es? Beteiligen Sie alle Mitarbeiterinnen pauschal und generell am Unternehmenserfolg! Auch dies wird die Eine oder Andere als ungerecht empfinden, aber dies können Sie mit keiner Vorgehensweise verhindern. Auf jeden Fall ist dies die einzige Möglichkeit, Mitarbeiterinnen über Prämien zu motivieren, ohne sie gegeneinander auszuspielen.

Möchten Sie aber auf jeden Fall auch individuell besondere Leistungen belohnen, dann verstecken Sie sich dabei nicht hinter scheinbar objektiven Kriterien und Messungen. Begründen Sie also nicht eine Prämie an Frau Meier damit, dass sie (objektiv) die Beste in diesem Jahr war gemäß Kriterium XY, sondern stehen Sie dazu, dass Sie sich an Ihren eigenen Wahrnehmungen und Erwartungen orientieren:

➢ Ich möchte Frau Meier dieses Jahr dafür belohnen, dass sie aus meiner Sicht
  - sich sehr bemüht hat um Fortschritte bei …
  - sich sehr engagiert hat bei … mit dem Ergebnis, dass …
  - einige Male in heiklen Situationen sehr schnell/ mutig/ kreativ reagiert hat
  - sich über ihre eigentliche Arbeit hinaus immer auch sehr um die Auszubildenden kümmert
  - einige für unser Unternehmen sehr wichtigen neuen Kontakte geknüpft hat
  usw.

3. mögliches Ziel: Die Mitarbeiterinnen sollen eine Orientierung bekommen, „wo sie stehen", um sie ggf. gezielt fördern zu können.

Alternative: Schauen wir wieder in die Schulen. Einigen wenigen Schülerinnen bleiben Noten erspart. Zum Beispiel in den ersten Grundschuljahren oder an Waldorfschulen in den ersten Jahren. Liest man dann die ausführlichen Bewertungen, bezogen auf die Wahrnehmungen seitens der Lehrerinnen über ein ganzes Schuljahr oder auch bezogen auf einzelne Arbeiten, so fällt auf, wie viel aussagekräftiger diese Rückmeldungen sind als die üblichen Schulnoten. Wozu also brauchen Sie Kategorien, um einem Menschen eine qualifizierte und hilfreiche Rückmeldung zu geben? Beschreiben Sie – mündlich wie schriftlich – einfach, was sie wahrnehmen und wie Sie dies, ganz persönlich bewerten.

27

Ein Beispiel:

> Frau Schulze, ich möchte Ihnen an dieser Stelle sagen, wie ich Sie in dem halben Jahr, das Sie jetzt für uns arbeiten, erlebt habe. Zunächst einmal erlebe ich Sie als sehr zurückhaltend. Dies mag an einer gewissen Unsicherheit in Verbindung mit der Probezeit liegen. Ich wünsche mir jedenfalls, dass Sie versuchen, Ihre Zurückhaltung etwas abzulegen. Sagen Sie, was Sie denken und meinen, z.B. in unseren morgendlichen Besprechungen. Sie sollten auch wissen, dass ich nicht beleidigt bin, wenn Sie vielleicht den einen anderen Ablauf hier kritisch sehen. Ich freue mich immer über neue Ideen.
> Was mir sehr gefällt, ist ihr zuverlässiges, tägliches Engagement. Und vor allem auch Ihre Gelassenheit in Druck- und Stresssituationen. Mit den Kunden sprechen Sie aufmerksam und freundlich. Auch das gefällt mir sehr gut.
> Fachlich stehen Sie da, wo ich Sie am Ende der Probezeit erwarte. Jedoch müssen wir nun schauen, durch welche Maßnahmen und Vereinbarungen wir Sie unterstützen, im Bereich ... weitergehende Kenntnisse und Erfahrungen zu erwerben. Ich kann mir z.B. gut vorstellen, Sie in dem Projekt X einzusetzen und auf das Seminar Y zu schicken.
> Aber nun berichten Sie bitte erst einmal, wie Sie das halbe Jahr bei uns erlebt haben und ob Sie meine Einschätzungen zu Ihren Leistungen teilen!

Noch eine abschließende Bemerkung zu diesem Thema.

Wie ist der Zusammenhang zwischen Beurteilung und Motivation? Motivierend ist ein offenes Feedback. Vorausgesetzt, es wird ausgesprochen von einer Person, die eine gute Wahrnehmung und generell Respekt vor der Einzigartigkeit jedes Individuums hat. Ein Feedback bezieht sich ausschließlich auf die persönlichen Wahrnehmungen und Erwartungen. Es enthält sich jeder Bewertung mit Objektivitätsanspruch („Sie sind ...", „Sie können/ können nicht ..."). Dagegen sind Bewertungen mit einem solchen Objektivitätsanspruch, z.B. in Form von Noten oder sonstigen Einstufungen, eher kritisch hinsichtlich der Motivierung von Mitarbeiterinnen. Und zwar aus folgenden Gründen. Mittelmäßige und schlechte Noten werden in dem meisten Fällen als ungerecht empfunden und wirken unmittelbar demotivierend. Die Mitarbeiterin denkt z.B. „Dann brauche ich mich ja gar nicht mehr anzustrengen. Es wird ja eh nicht wahrgenommen oder belohnt". Es kann auch sein, dass die Mitarbeiterin die schlechte Bewertung als gerechtfertigt empfindet, sich also in ihren eigenen Minderwertigkeitsgefühlen bestätigt fühlt. In diesem Fall wird eine ohnehin schwache Motivation durch die erfahrene Bewertung auf niedrigem Niveau stabilisiert. Es gibt aber auch natürlich in manchen Fällen eine motivationsfördernde Wirkung von Beurteilungen. Dies mag eine Mitarbeiterin mit schlechter Bewertung betreffen, die in Zukunft besser abschneiden will. Oder eine Mitarbeiterin mit guten Noten, die „oben" bleiben möchte. Aber: diese Motivation ist eine sogenannte „Extrinsische Motivation". Das bedeutet: ich mach etwas, um zu ...Es geht also nicht, wie bei der „Intrinsischen Motivation" darum, etwas aus mir heraus, mit Begeisterung und innerer Befriedigung zu tun. Sondern ich tue etwas, möglicherweise unter Verletzung meiner Werte, meiner Würde, meiner Gesundheit, um ein attraktives Ziel zu erreichen: das Lob, die gute Bewertung, die Prämie, die Beförderung. Dazu kommt das tragische Phänomen, dass eine starke Orientierung an solchen extrinsisch verstärkten Motiven, die persönliche intrinsische Motivation untergräbt. So wie in den Schulen die Schülerinnen leider sehr schnell lernen, mit möglichst wenig Aufwand an möglichst gute Noten zu kommen, und nicht ihren ursprünglich mal vorhandenen Wissendurst zu stillen. Genauso erzeugen Sie durch Bewertungen Mitarbeiterinnen, die sehr berechnend werden hinsichtlich ihres Einsatzes („Was bringt mir das?"), statt ihre Befriedigung darin zu suchen, täglich eine gute Arbeit zu leisten und mit einem guten Gefühl und einem Erfolgserlebnis nach Hause zu fahren.

Jetzt bewegen Sie sich möglicherweise in Systemen, in denen Sie gar keine Entscheidung über die Einführung oder Abschaffung oder die Ausgestaltung eines Bewertungssystems treffen können, z.B. weil Sie in einer nachgeordneten Behörde arbeiten oder in einer Firma, die zu einem Konzern gehört, in dem solche Fragen einheitlich geregelt sind. Dann stecken Sie wirklich in einem Dilemma. Versuchen Sie, eine kritische Distanz zu dem Beurteilungssystem zu pflegen, ohne illoyal zu werden. Wenn Sie ohne negative Konsequenzen dieses System komplett umgehen können, dann tun sie das. Dies ist übrigens erstaunlich häufig der Fall. Anordnungen über Anordnungen, aber häufig wenig Konsequenzen, wenn man sich nicht daran hält. Andernfalls verdeutlichen Sie in dem Gespräch mit der Mitarbeiterin die Notwendigkeit der Beurteilung, sprechen offen über Vor- und Nachteile, versuchen die Bewertung nicht „zu hoch zu hängen" und ergänzen auf jeden Fall die Bewertung durch ein offenes Feedback wie oben beschrieben.

12: ALTERSGERECHTE ARBEITSGESTALTUNG

Zurzeit reden Alle vom demografischen Wandel, der scheinbar genauso überraschend kam wie der Klimawandel. Politiker fordern Unternehmen auf, sich auf diesen demografischen Wandel einzustellen. Es gibt viele Projekte und Veröffentlichungen zu dem Thema. Wenn man diese aber auf konkrete, praktikable Ansätze und Instrumente untersucht, bleibt nicht mehr viel übrig.

Es gibt ja grundsätzlich zwei Risiken für die Unternehmen: nicht mehr genügend (junge) Fachkräfte für das Unternehmen gewinnen zu können und eine vielleicht nachlassende Produktivität aufgrund einer im Durchschnitt immer älter werdenden Belegschaft. Letzteres hängt natürlich von den Arbeitstätigkeiten und Rahmenbedingungen ab. Es ist auch möglich, dass die Leistungsfähigkeit konstant bleibt oder sogar steigt, aufgrund wachsender Routine und Erfahrung.

Im Wettbewerb um die knapper werdenden Nachwuchskräfte werden die Unternehmen gewinnen, die besonders attraktiv für Arbeitnehmer sind. Neben einem generell gutem Ruf, modernen Arbeitsplätzen und einer Bezahlung, die zumindest dem Durchschnitt entspricht, können Sie glänzen mit flexiblen, familienfreundlichen Arbeitszeiten und attraktiven Fort- und Weiterbildungen. Es spricht sich aber auch herum, wie generell das Arbeitsklima und die Unternehmenskultur durch die Beschäftigten wahrgenommen werden. Neben der Mundpropaganda sind die sozialen Netzwerke und einschlägigen Internetforen nicht zu unterschätzen, in denen Mitarbeiter ihre Unternehmen bewerten.

Viele Vorschläge, die in diesem Buch unterbreitet werden, besitzen das Potenzial, die Attraktivität Ihres Unternehmens für Nachwuchskräfte, aber auch für ihre aktuellen Mitarbeiter, zu steigern. Gleichzeitig wirken Sie auf der zweiten Ebene, die oben genannt wurde: dem Erhalt der Arbeitsfähigkeit älter werdender Mitarbeiter.

Für letzteres entscheidend ist es darüber hinaus, sowohl in der gewerblichen Arbeit wie in der Büroarbeit ergonomische Optimierungen vorzunehmen, auf der Basis einer fachkundigen Gefährdungsbeurteilung, z.B. durch Physiotherapeuten (Kap.4), sowie kontinuierlich durch partizipative Verbesserungsprozesse.

Kommen wir zurück zu den Forschungen, Veröffentlichungen und Darstellungen „Guter betrieblicher Praxis". Drei Ansätze halte ich für erwähnenswert:

1. Es gibt in professionell geführten Unternehmen verbindliche Regelungen, bei allen grundsätzlichen betrieblichen Entscheidungen, bestimmte Aspekte und Zielsetzungen zu berücksichtigen, vor allem: wie wirkt sich die Entscheidung aus auf die Erträge und auf die Qualität. Unternehmen mit weitergehenden Ansprüchen schauen vielleicht zusätzlich auf die Aspekte Arbeitssicherheit, Auswirkungen auf die Umwelt, Geschlechtergerechtigkeit. Nun ist es naheliegend, Ihre betrieblichen Entscheidungskriterien um demografierelevante Aspekte zu ergänzen. Dies kann bedeuten:

   - Wenn Schulungen für Mitarbeiter geplant werden, überlegen Sie, ob Sie für ältere Teilnehmer andere Konzepte oder Trainer brauchen.
   - Wenn Führungskräfte geschult werden, sollte die Führung Älterer thematisiert werden.
   - Wenn Umbaumaßnahmen oder die Einrichtung und der Bezug neuer Räume anstehen, berücksichtigen Sie die spezifischen Reaktionen (vieler) älterer Mitarbeiter auf bestimmte Situationen und Belastungen, wie Lärm und Licht.
   - Wenn Ziele für einzelne Mitarbeiter oder für Teams vereinbart werden, „scheren Sie nicht alle über einen Kamm", sondern berücksichtigen Sie sowohl die besonderen Stärken und Qualitäten älterer Mitarbeiter als auch nachlassende Belastbarkeit bezüglich spezifischer Anforderungen.

2. Die Bildung altersgemischter Teams ist der „Klassiker" unter den Vorschlägen zur betrieblichen Bewältigung des demografischen Wandels. Jedoch bietet sich diese Maßnahme nur für solche Tätigkeiten an, bei denen sowohl schwere körperliche Arbeit als auch Erfahrung und Geschick gefragt sind. Dann kann der Jüngere einen größeren Teil der körperlichen Arbeiten übernehmen und profitiert gleichzeitig von dem Wissen und der Routine des Älteren. Man muss bei diesen Ansätzen allerdings aufpassen, dass eine Entlastung Älterer nicht zu sehr zu Lasten der Jüngeren geht. Gerade diese haben ja noch sehr viele Arbeitsjahre vor sich. Das gilt beispielsweise auch für die nicht unübliche Praxis, Ältere nicht mehr in Nachtschichten einzuteilen, was dann zwangsläufig umso mehr Nachtschichten für die (wenigen) Jungen bedeutet.

3. Der meines Erachtens sinnvollste Ansatz, die Arbeitsfähigkeit Älterer bis zur Rente zu bewahren, besteht in einer sukzessiven Reduzierung der Arbeitszeit. Wohlbemerkt, bei vollem Lohn. Ein Busunternehmen in Norddeutschland hat für sich ermittelt, dass sich das sogar betriebswirtschaftlich rechnet, denn die Krankenstände gingen stark zurück und ebenso die durch Frühverrentungen und dadurch erforderlichen Neubesetzungen anfallenden Kosten.
Natürlich ist dies nur dann sinnvoll, wenn bestimmte Tätigkeiten und Anforderungen nachweislich von Älteren in vollem Umfang nicht mehr ohne großes gesundheitliches Risiko erbracht werden können.

Die größte Wirkung erzielen Sie immer durch die Kombination von Maßnahmen der Verhältnis- und der Verhaltensprävention. Ergänzen Sie daher Ihre Maßnahmen der alters- und alternsgerechten Arbeitsgestaltung um Angebote der Gesundheitsförderung: bewegte Pausen, alters- und tätigkeitsspezifische Präventionsangebote (Muskelaufbau, Beweglichkeit, Koordination, Entspannung), Aktionen zur Aktivierung von Büroarbeitern (Schrittzähler, Anreize zum Fahrradfahren, gemeinsame Laufgruppen u.a.).

13: EINFÜHRUNG EINES BETRIEBLICHEN GESUNDHEITSMANAGEMENTS

Der betriebliche Arbeitsschutz wird im Arbeitsschutzausschuss verhandelt. Der Auftrag, die Zusammensetzung und der minimale Turnus der Sitzungen sind gesetzlich geregelt. Will ein Unternehmen wirklich ernsthaft die Gesundheit und Arbeitsfähigkeit der Mitarbeiterinnen erhalten und fördern, so sollte es über diesen gesetzlichen Auftrag hinausgehen. Hierfür gibt es prinzipiell zwei Ansätze. Zum einen kann der Arbeitsschutzausschuss (ASA) einen erweiterten Auftrag erhalten. Dieser umfasst die Prävention körperlicher und psychischer Fehlbeanspruchungen, basierend auf ganzheitlichen Gefährdungsbeurteilungen. Neben einem, schriftlich fixierten, erweiterten Auftrag bedarf es eines erweiterten Teilnehmerkreises. Über die Pflichtteilnehmer des ASA hinaus kommen in Frage: die Geschäftsführung, Führungskräfte, die Personalleitung, Qualitätsmanager bzw. QM-Beauftragte, Gesundheitsmanager bzw. Gesundheitsfachkräfte, Gleichstellungsbeauftragte.

Der zweite Weg besteht in einer Trennung zwischen dem Arbeitsschutz, welcher im ASA verhandelt wird, und einer ganzheitlichen Prävention und Gesundheitsförderung, für die ein eigenes Gremium geschaffen wird. Dieses heißt manchmal Gesundheitsschutzausschuss, Steuerkreis Gesundheit, Lenkungskreis Gesundheit o.ä.

Unabhängig von dieser Frage der zuständigen Gremien, sollte es eine definierte Struktur für alle Prozesse, bezogen auf die Sicherheit und Gesundheit der Beschäftigten, geben. Üblicherweise nennt man diese Struktur „Betriebliches Gesundheitsmanagement". Dazu ein Vorschlag:

Dieses Konzept besteht aus fünf Modulen. Der erste Schritt zu seiner Realisierung besteht darin, für jedes Modul konkrete Ziele zu definieren. Für diese Ziele ist eine breite Akzeptanz im Unternehmen sehr wichtig. Ihre Erarbeitung bedarf also einer hinreichenden Beteiligung aller Unternehmensbereiche und Hierarchiestufen. Die Ziele des Moduls Gesundheit entsprechen den Zielen des Betrieblichen Gesundheitsmanagements. Die übrigen vier Module leisten im Erfolgsfall jeweils positive Beiträge zur Erreichung dieser zentralen Ziele. Die Ziele innerhalb der Module benötigen zunächst eine passende Überschrift.

Betrachten wir zunächst das Modul „Verhältnisse". Es könnte z.B. folgende Ziele verfolgen (insgesamt ca. acht bis zwölf):

- Die **Arbeitsmenge** ist so beschaffen, dass Sie – von wenigen Ausnahmesituationen abgesehen – in der geforderten Qualität ohne großen Termindruck zu bewältigen ist. Es ist möglich, die vorgesehen Pausen zur Erholung zu nutzen und im Tagesverlauf hinreichend häufig Kurzpausen einzulegen. Den Beschäftigten bleibt neben ihrem Tagesgeschäft genügend Zeit für weitere wichtige Aufgaben: Abstimmungen & Absprachen, Fortbildung, Struktur und Ablage, ggf. Konzepte weiterentwickeln usw. Es gibt keine längeren Phasen von Leerlauf, also mengenmäßiger Unterforderung.

- Die **fachlichen Anforderungen** beinhalten Herausforderungen, welche einer Anstrengung erfordern, aber zu bewältigen sind. Sie ermöglichen eine fachliche Weiterentwicklung und persönliche Erfolgserlebnisse. Bei diesen fachlichen Herausforderungen gibt es immer die Möglichkeit, bei Bedarf Unterstützung zu erhalten. Insgesamt sind die fachlichen Anforderungen eine gesunde Mischung aus solchen Herausforderungen und gut zu bewältigenden Routineaufgaben.

- Der **Sinn** jeder Tätigkeit, also der jeweilige Beitrag zum Unternehmenserfolg, ist den Beschäftigten immer deutlich. Es wird von den Führungskräften begrüßt, wenn Mitarbeiterinnen ggf. nachfragen, wenn ihnen der Sinn nicht deutlich ist.

- Die Mitarbeiterinnen verfügen über angemessene **Spielräume** in ihrer Arbeit:
  - Handlungsoptionen, die gewählt werden können,
  - Entscheidungen, die getroffen werden können
  - die Planung der zeitlichen Abfolge von Tätigkeiten.
  Die Mitarbeiterinnen können aufgrund dieser Spielräume einerseits persönliche Bedürfnisse realisieren (bevorzugte Ausführungsvarianten, bevorzugte Zeitpunkte für bestimmte Arbeiten) und andererseits, auf der Grundlage ihrer Erfahrungen mit bestimmten Vorgehensweisen, ein

bestmögliches Arbeitsergebnis erzielen.

- Die Arbeiten können in der Regel we tgehend **reibungslos** erledigt werden. Die nicht immer ganz zu vermeidenden Störungen und Unterbrechungen halten sich also in gesunden (engen) Grenzen. Arbeiten, welche eine hohe Konzentration erfordern, können unter angemessenen Bedingungen, in einem hinreichend ruhigen Umfeld, erledigt werden.

- Die Mitarbeiter verfügen über gut geeignete **Arbeitsmittel** (incl. Software) für ihre Arbeitsaufgaben und einen ergonomischen gestalteten Arbeitsplatz. Sie haben leichten Zugang zu allen nötigen **Informationen** für ihre Arbeit.

- Die Kommunikation der Mitarbeiterinnen untereinander sowie zwischen Führungskräften und Mitarbeiterinnen bleibt immer **respektvoll**. Dies gilt auch für Konflikte und Kritikgespräche. Die Mitarbeiterinnen erfahren darüber hinaus explizite Unterstützung und Rückendeckung durch ihre Führungskräfte, sich auch im Kundenkontakt ggf. den notwendigen Respekt zu verschaffen.

- Die Mitarbeiterinnen, einschließlich der Führungskräfte, erfahren eine persönliche **Wertschätzung** von ihren Kolleginnen und Vorgesetzten. Von ihren Vorgesetzen erhalten sie hinreichend häufig ein fundiertes Feedback, wie ihre Leistung und ihr Arbeitsverhalten wahrgenommen werden. Auch wenn es aus Sicht der Führungskraft Anlass zur Kritik gibt, bleiben diese Rückmeldungen grundsätzlich respektvoll, wertschätzend und motivierend (Dies schließt nicht aus, dass eine Führungskraft deutlich persönliche Erwartungen äußert).

Wie wollen Sie diese Ziele überschreiben: „Gute Arbeit"? „Menschengerechte Arbeit"? „Gesunde Arbeit"? Definieren Sie analog Zielsetzungen einschließlich passender Überschriften für die übrigen Module, z.B. „Gesunde Führung", „Gesunde Bewältigung" und „Wirksame Gesundheitsförderung". Bei der „Gesunden Führung" können Sie sich z.B. an dem auf der Seite 36 dargestellten Fragebogen zum Vorgesetztenfeedback orientieren.

Für die „Gesunde Bewältigung" schlage ich folgende Punkte vor:

Mitarbeiterinnen …

- wehren sich selbstbewusst gegen Kränkungen, Beleidigungen, Unterstellungen.
- treten selbstbewusst für ihre Ansichten und Interessen ein. Gleichzeitig respektieren sie die Meinungen und Interessen Anderer und suchen eine zufriedenstellende Einigung.

- bleiben in Drucksituationen gelassen und suchen eine konstruktiven Weg. Sie setzen Prioritäten bzw. erfragen diese bei ihren Vorgesetzten.
- suchen einfache und effiziente Wege, um ihre Aufgaben zu erledigen. Bei Zeitmangel reduzieren sie ihre Ansprüche an die Qualität, ohne eine betrieblich abgestimmte Mindestqualität zu unterschreiten.
- melden ihren Vorgesetzten möglichst frühzeitig Überlastungen, also Anforderungen, die auch bei einer Reduzierung auf diese Mindestqualität in der vorgesehenen Zeit und in einer noch gesunden Arbeitsintensität nicht zu schaffen sind.
- fühlen sich grundsätzlich dafür verantwortlich, ihre Gesundheit und Arbeitsfähigkeit aktiv zu pflegen. Sie sorgen für hinreichend Ausgleich und Entspannung in ihrem Leben, achten auf eine gesunde Ernährung und genügend Bewegung. Am Arbeitsplatz setzen sie sich aktiv für Maßnahmen ein, welche ihrer Gesundheit zugutekommen.

Der erste Schritt besteht also in der betrieblichen Verständigung auf Ziele. Bitte denken Sie daran, die genannten Vorschläge nicht einfach zu übernehmen. Wichtig ist der Prozess der betrieblichen Einigung auf bestimmte Ziele.

Im zweiten Schritt benötigen Sie eine Einigung auf passende Instrumente und Prozesse zur Messung des Ist-Zustandes, bezogen auf die jeweiligen Ziele: wie gesundheitsverträglich sind aktuell die Verhältnisse, das Führungsverhalten und das persönliche (Arbeits)Verhalten der Mitarbeiterinnen? Wie wirksam sind die Angebote der Gesundheitsförderung? Und wie steht es aktuell um den Gesundheitszustand der Beschäftigten?

Es folgen einige Beispiele für Methoden und Instrumente für solche „Messungen" bzw. möglichst fundierte Einschätzungen.

Verhältnisse (siehe Kap.1 bis Kap.4):

- Auswertung einer schriftlichen/ elektronischen Mitarbeiterbefragung
- Expertenurteil auf der Basis von Interviews
- Angeleitete Selbstbewertung in Arbeitsgruppen
- Begutachtung der Arbeitsplätze, Arbeitshaltungen, körperlichen Anforderungen und Bewegungsabläufe durch Physiotherapeutinnen

Führung:

- Schriftliches, anonymes Feedback der Mitarbeiterinnen an ihre Vorgesetzten
- Weitere persönliche Wahrnehmungen und Bewertungen des Führungsverhaltens durch andere Führungskräfte auf der gleichen oder höheren Führungsebene.

Es folgt das Beispiel eines Fragebogens zum Führungsverhalten.

Frage **Mein/e Vorgesetzte/r ….**	Stimmt	Stimmt eher	Stimmt eher nicht	Stimmt nicht
… ist für mich erreichbar, wenn ich ihn/ sie dringend brauche				
… hat ein „offenes Ohr" und Verständnis für meine Anliegen				
… „steht" hinter mir und meinen Kolleg/innen				
… nimmt wahr, was ich leiste, und erkennt dies an				
… fordert nichts, was nicht machbar wäre				
… behandelt seine/ ihre Mitarbeiter/ innen fair und gleich				
… spricht respektvoll mit mir und meinen Kolleg/innen, auch unter Stress oder wenn Fehler passiert sind				
… versucht mit mir und meinen Kolleg/innen aus Fehlern zu lernen, statt nur den Schuldigen zu suchen				
… bleibt menschlich und steht ggf. auch zu eigenen Fehlern				
… kann gut organisieren und schaut „das alles gut läuft"				
… behält auch in Drucksituation die Nerven und den Überblick				
… ist für mich ein Vorbild beim Umgang mit Konflikten				
… sagt eindeutig, was er/ sie von mir erwartet und wie er/ sie mich wahrnimmt				
… informiert mich rechtzeitig und hinreichend umfassend.				

Wichtig: Gefragt ist immer die persönliche Wahrnehmung von konkretem Führungsverhalten. Vermeiden Sie die zweifelhafte Beurteilung von Führungskompetenzen oder gar persönlichen Eigenschaften oder Charaktermerkmalen.

Bewältigung:

- Schriftliche, anonyme Selbsteinschätzung der Mitarbeiterinnen
- Wahrnehmungen und Bewertungen der Führungskräfte, bezogen auf ihre unmittelbar unterstellten Mitarbeiterinnen, ausschließlich aggregiert kommuniziert:
  → „3 meiner 10 Mitarbeiterinnen sind in der Lage, in Drucksituationen gelassen zu bleiben"
  → „4 meiner 10 Mitarbeiterinnen melden mir rechtzeitig Überlastungen"
  ...

Gesundheitsförderung:

- Bewertung einzelner Maßnahmen durch die Teilnehmerinnen
- medizinische Checks: z.B. Untersuchung der Struktur und Muskulatur des Rückens, dann gezielte Trainings, dann erneute Messung
- bei Maßnahmen zur Verhaltensprävention: Vor- und Nachbefragung der Teilnehmer gemäß den betrieblich abgestimmten Kriterien für „Gesunde Bewältigung".

Gesundheit:

- Arbeitsbewältigungsindex
  („Work Ability Index", vgl. www.arbeitsfaehigkeit.net)
- Sonstige Fragebögen zum aktuellem Befinden
- Medizinische Untersuchungen
- Krankenstand (???)

Der Krankenstand ist eine zweifelhafte Messgröße. Einfluss auf diese Messgröße haben sowohl Erkrankungen mit arbeitsbedingtem Hintergrund, als auch solche ohne diesen Hintergrund, Kurzzeiterkrankungen und Langzeiterkrankungen. Auch ist nicht jede Mitarbeiterin gesund, die zur Arbeit erscheint.

Schritt 3:

Sie haben nun Ziele für Ihr Gesundheitsmanagement definiert und Instrumente für die Messung der Zielerreichung ausgewählt. Nun folgt die Festlegung auf Strukturen und Prozesse:

- Diagnostik: Wer führt wann mit welchen Instrumenten welche Untersuchungen durch (SiFa, Betriebsärztin, Psychologin, Ergonomieberaterin, ...) und wie werden diese koordiniert?

- Frühwarnsystem: Wie werden die Kernfaktoren für Gesundheit und Zufriedenheit ausgewählt und in welchem Rhythmus werden diese Größen vom wem und mit welchen Instrumenten abgefragt? Wie werden die Ergebnisse im Unternehmen kommuniziert?

- Maßnahmen zur Verbesserung: Welche Personen bzw. Gremien verhandeln und entscheiden wann oder in welchen Rhythmus über angemessene Verbesserungsmaßnahmen auf der Basis der durchgeführten Untersuchungen und Abfragen (ASA, Steuerungskreis, ...)?

- Prävention: Bei welchen betrieblichen Veränderungen (Umstrukturierungen, bauliche Maßnahmen, Beschaffung von Arbeitsmitteln, ...) wird durch welche Maßnahmen sichergestellt, dass möglichst gesundheitsverträgliche Lösungen gewählt werden?

- Schulung/ Unterweisung/ Beratung (Coaching): Welche Mitarbeiterinnen (incl. Führungskräfte) werden in welcher Form und wann und vom wem mit welchen Zielsetzungen geschult, unterwiesen bzw. beraten?

- Zielvereinbarungen: Mit welchen Mitarbeiterinnen (incl. Führungskräfte) werden in welchen Rahmen oder in welcher Form Ziele hinsichtlich des Gesundheitsschutzes und der Gesundheitsförderung vereinbart?

- Erhaltung und Förderung der Arbeitsfähigkeit: Mit welchen Maßnahmen wird die Arbeitsfähigkeit der Mitarbeiterinnen bis zum gesetzlichen Rentenalter unterstützt? Welche Unterstützung erfahren speziell ältere Mitarbeiterinnen und solche, die häufig erkranken (Betriebliches Eingliederungsmanagement)

- Gesundheitsförderung: Welche Maßnahmen der Gesundheitsförderung werden welchen Mitarbeiterinnen zu welchen Bedingungen und mit welcher Zielsetzung angeboten?

- Prozess-Evaluation: In welchen Abständen wird von wem mit welchen Methoden die Wirksamkeit des Gesamtsystems (Diagnostik, Schulung, Prävention, Gesundheitsförderung usw.) überprüft und wie werden notwendige Korrekturen vorgenommen?

Der betriebliche Umgang mit
de

9783734755989.3

9